Camille

au fil des jours...

Texte d'Aline de Pétigny
Illustrations de Nancy Delvaux

Éditions Hemma

Camille ne veut pas prêter ses jouets

Aujourd'hui, Célestin et Bérénice
sont venus jouer chez Camille.

Les enfants montent les escaliers
en courant et en rigolant.
– Voilà ma chambre ! dit Camille, toute fière.

– Oh ! La belle poupée ! s'exclame Bérénice, en prenant
Valentine dans ses bras. Je vais la sortir de son lit.
Et hop ! Bérénice prend Valentine
et lui fait faire quelques pas.

– Oh ! Les beaux cubes ! s'exclame Célestin.
Venez, on va faire une ville. Ça sera rigolo !
Et hop ! Tous les cubes se retrouvent par terre.

Camille regarde ses amis s'amuser avec ses jouets
et, soudain, une grosse larme vient couler sur sa joue.

Elle s'assoit dans un coin de sa chambre, son nounours
dans les bras, et commence à bouder.

– Tu as vu, nounours ? C'est mes jouets et ils jouent avec,
sans me demander. Valentine, elle avait pas envie
de se lever. Elle voulait rester dans son lit.
Et puis, j'avais tout bien rangé mes cubes !

– Tu viens jouer, Camille ? demande Célestin.
On est en train de faire le plus haut
et le plus beau des immeubles !
– Non, fait Camille
en boudant.

– Viens jouer à la poupée alors,
propose Bérénice.
– Non, répète Camille
en sortant de sa chambre.

– Que se passe-t-il, ma chérie ? demande maman en voyant
Camille. Ce n'est pas encore l'heure du goûter.
– Bérénice et Célestin, ils jouent avec mes jouets,
fait Camille, toute renfrognée.

– Et alors ? dit maman, étonnée.
– Ben, moi, je veux pas leur prêter !
– Tu préfères jouer toute seule ? demande maman.
– Non, c'est plus rigolo à plusieurs, avoue Camille.

– Alors il faut prêter tes jouets, explique maman.
C'est important de prêter, comme ça tu montres à tes amis
que tu les aimes et que tu as confiance en eux.
C'est pour ça que je te prête mes ustensiles de cuisine,
quand tu veux faire un gâteau.

– Tu les aimes bien, Bérénice et Célestin,
n'est-ce pas ? poursuit maman.
– Oh oui, c'est mes meilleurs amis ! s'exclame Camille.
– Alors, va jouer avec eux et prête-leur tes affaires !

– Une demi-heure plus tard,
les enfants descendent pour le goûter.
– Mais ! Ce sont les vêtements de Camille !
s'exclame maman quand elle les voit.
– Camille nous les a prêtés
pour le déguisement, répond Célestin.

– Et ce sont ses jolis bijoux en or
que sa grand-mère lui a offerts ! ajoute maman.
– Oui, fait Bérénice. J'avais envie de les mettre.
Alors, elle me les a prêtés.

– Regarde, maman ! s'exclame Camille en descendant l'escalier. Je me suis déguisée en princesse.

– Ma jolie robe ! Mon beau collier de perles ! s'écrie maman.
– Ben, tu m'aimes, alors je savais bien que tu serais d'accord
pour me les prêter ! fait Camille, tout heureuse
de son déguisement.

Camille
et ses amis

– Maman, fait Camille en enfilant son maillot de bain,
pourquoi je suis beige ?
– Ton maillot n'est pas beige, chérie, répond maman.

– Je sais bien ! dit Camille en
haussant les épaules. Moi,
pourquoi je suis beige ?
– Ah ! répond maman. Tu es
blanche parce que papa et moi,
on est blancs.

– T'es pas blanche ! T'es beige, fait Camille
en sautant dans l'eau. Et Célestin ?
Pourquoi il est marron ?
Sa maman, elle est beige !
– Oui, mais son papa est noir.
– Ah oui ! J'avais oublié.

– Et le petit garçon là-bas,
pourquoi il a les yeux tout comme ça ?
– Parce que son papa
ou sa maman ont
les yeux bridés.
On ressemble
souvent à
ses parents,
explique maman.

– C'est pour ça qu'on
me dit tout le temps
que je te ressemble ?
– Eh oui, ma chérie !

– Je peux aller jouer avec Chloé, Rica, Léa et Justin ?
demande Camille. C'est des nouveaux amis.
– Oui, mais tu ne t'éloignes pas, conseille maman.
Je suis avec mademoiselle Ninon...

Après avoir bien joué, s'être bien éclaboussés,
après avoir construit un beau château,
les enfants dévorent leur goûter.

– Camille ! Viens vite, chérie,
appelle maman.
Nous rentrons.

Quand toutes les deux remontent vers la maison, la petite fille ne dit rien.
– Quelque chose te tracasse ? demande maman.
– Dis, maman... quand tu auras un bébé, est-ce qu'il pourrait être marron, s'il te plaît ?
– Mais c'est impossible, chérie !

– Ah ? fait Camille, déçue.
Alors, est-ce qu'il pourra
avoir les yeux bridés ?
– Mais non, chérie.
Nous ne pouvons pas.

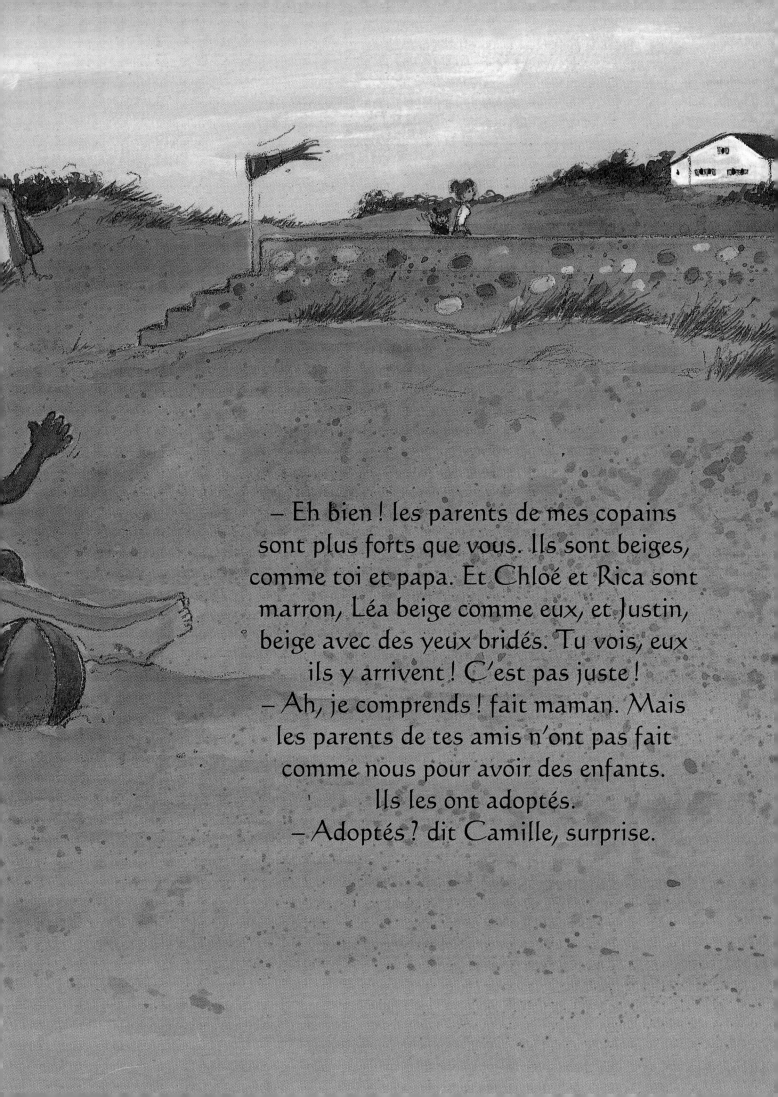

– Eh bien ! les parents de mes copains
sont plus forts que vous. Ils sont beiges,
comme toi et papa. Et Chloé et Rica sont
marron, Léa beige comme eux, et Justin,
beige avec des yeux bridés. Tu vois, eux
ils y arrivent ! C'est pas juste !
– Ah, je comprends ! fait maman. Mais
les parents de tes amis n'ont pas fait
comme nous pour avoir des enfants.
Ils les ont adoptés.
– Adoptés ? dit Camille, surprise.

– Oui, ils ont décidé d'être
le papa et la maman d'enfants qui
n'avaient plus de parents.
– Ah ? Ça, c'est une bonne idée !
fait Camille.

Le lendemain matin, après une bonne nuit,
Camille descend l'escalier et arrive
vite, vite, vite dans la cuisine.
– Maman, papa, vous aimez bien mademoiselle Ninon ?

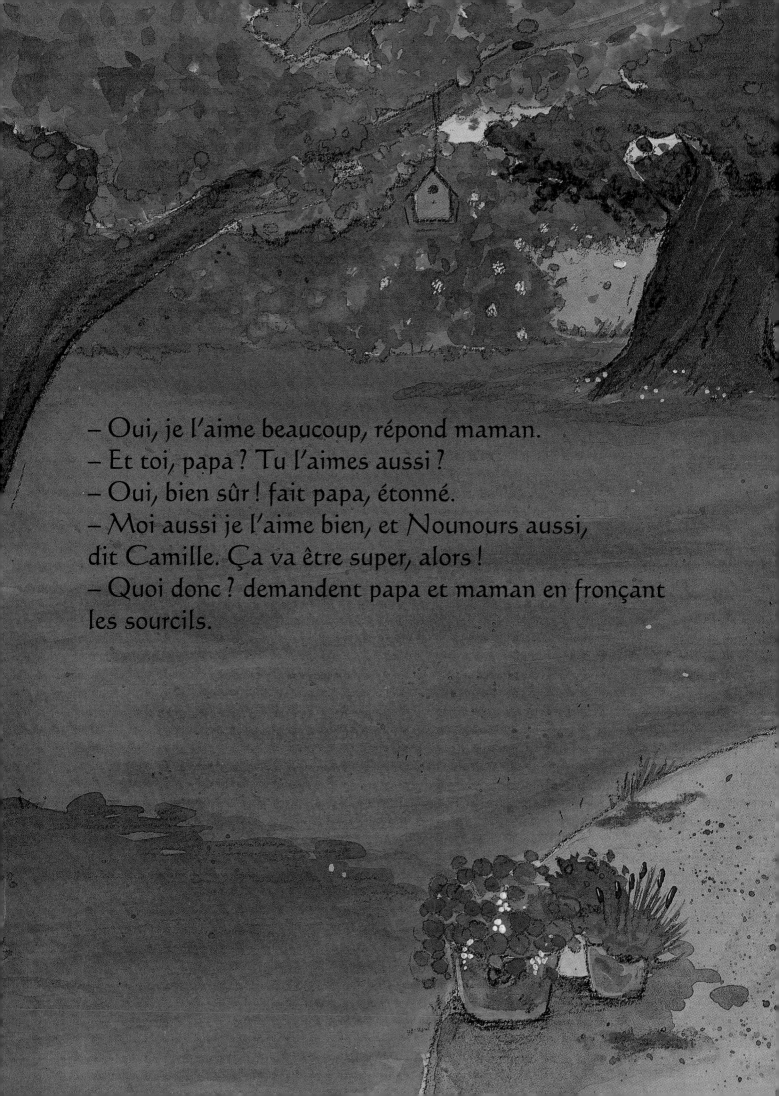

– Oui, je l'aime beaucoup, répond maman.
– Et toi, papa ? Tu l'aimes aussi ?
– Oui, bien sûr ! fait papa, étonné.
– Moi aussi je l'aime bien, et Nounours aussi,
dit Camille. Ça va être super, alors !
– Quoi donc ? demandent papa et maman en fronçant
les sourcils.

– On va pouvoir l'adopter !
– Qui ça ?
– Mademoiselle Ninon ! Elle n'a plus son papa et sa maman,
alors on peut l'adopter !

Camille ne veut pas dormir

– Camille ! Mets-toi en pyjama. Il est l'heure de dormir !
dit maman en entrant dans la chambre de Camille.
– Je joue ! s'exclame la petite fille, très occupée.

– Tu continueras demain,
dit maman.

– J'ai pas envie de dormir, fait Camille en continuant
son jeu, assise par terre. Et puis, demain, j'aurai oublié
mon histoire. Ça ne sera plus pareil.

– Dépêche-toi ! gronde maman. Ou alors, je vais me fâcher.
Camille, pas contente, se lève, va dans la salle de bains
avec maman et commence à se déshabiller.

« Dring ! »
Le téléphone sonne, et
maman laisse Camille
toute seule.
– Finis de te mettre en
pyjama et couche-toi vite.
Je reviens tout
de suite.

Vite, Camille enfile son pyjama. Vite, vite, elle court
dans sa chambre. Et vite, vite, vite, elle recommence à jouer.

– Tu as vu, Nounours ? dit-elle. Ma poupée s'est cassé
la jambe. Je vais l'emmener à l'hôpital.

Quand maman revient, elle trouve Camille
assise au milieu de tous ses jouets.
– Je t'avais dit de te coucher ! s'exclame-t-elle.
Il y a un temps pour tout. Un temps pour jouer
et un temps pour dormir.

– Eh bien ! c'est encore
mon temps de jouer,
dit Camille
en restant par terre.
Maman la prend dans ses bras,
et hop, la met au lit
avec un gros bisou sur le nez.
– Eh non ! ma chérie.
C'est le temps de dormir !
dit-elle en éteignant
la lumière.

Demain,
nous allons nous promener
dans la forêt. Si tu ne dors
pas vite, tu seras fatiguée
et je serai obligée de te
porter.

– Maman, dit Camille.
On peut laisser la petite lumière, ce soir ?
– Oui, bien sûr, mon amour. À demain !
Et avant de fermer la porte, maman allume la petite lampe.

– Moi, j'ai pas
envie de dormir ! murmure
Camille à l'oreille de Nounours.
On va jouer encore un tout petit peu.

Camille prend alors Nounours dans ses bras
et saute de son lit.
– Tu sais, Nounours, je suis grande maintenant.
Je peux me coucher tard, comme papa et maman.

Tout doucement, sans faire de bruit,
Camille recommence à jouer.
Au bout d'un moment, elle bâille,
se frotte les yeux et tout doucement
s'endort au milieu de ses jouets.

Quelques minutes plus tard, elle se réveille.
– Oh ! là ! là ! J'ai mal partout. Les cubes, c'est quand même
moins bien que mon lit et ma couette ! Et puis, j'ai froid !

Camille se glisse sous sa couette avec Nounours.
Elle est heureuse, la couette est douce et chaude.
Nounours se serre contre elle. Camille s'enfonce
dans son lit et prend le grand livre d'histoires que
tante Nathalie lui a offert pour son anniversaire.

Tout en bâillant, Camille commence à regarder
les images et raconte une histoire à Nounours.
Mais Nounours, tout doucement, glisse du lit.

– Nounours, que fais-tu ? Ce n'est pas le moment
de jouer aux cubes ! Tu continueras demain.

– Allez, hop, au lit ! fait Camille en attrapant Nounours.
Il est l'heure de dormir. Et si tu ne dors pas,
demain tu seras fatigué, et il faudra que je te porte
toute la journée... comme d'habitude !

Camille dit des gros mots

– Crotte de bique ! s'écrie Camille
après avoir fait tomber ses crayons.
– Qu'est-ce que j'ai entendu ? dit papa. Camille,
tu sais bien que les gros mots sont interdits.

– Mais je ne peux pas
m'en empêcher ! Ils sortent
tout seuls de ma bouche.
Je te jure, ce n'est pas ma faute
à moi ! À l'école, tout le monde
en dit, même Eugène.

— Ici, nous ne sommes pas à l'école. Les gros mots,
ce n'est pas joli. Ça ne se dit pas devant tout le monde.
— Alors, je peux les dire dans un petit coin,
là où je suis toute seule et où personne ne m'entendra ?
demande Camille, en se tournant vers maman.

– Oui, si tu veux, dit maman après avoir réfléchi
un tout petit peu. Maintenant, en attendant Bérénice,
range tes crayons.

Quelques instants plus tard, Bérénice arrive
et les deux petites filles montent jouer
dans la chambre de Camille.

Un peu plus tard dans l'après-midi,
papa entend Camille dévaler l'escalier
et se précipiter aux toilettes.

– Tu as mal au ventre ? demande papa, inquiet.
Tu as mal au cœur ? demande-t-il encore,
quand il voit Camille, la main sur la bouche.

Vite, vite, vite, Camille s'engouffre dans les toilettes,
ferme la porte et en ressort quelques secondes plus tard.

– Alors, dit maman, inquiète,
ça va mieux ?
– Oh oui ! fait Camille
avec un grand sourire,
avant de repartir jouer.

Maman commence à faire un gâteau, quand soudain
elle entend Bérénice dévaler à son tour l'escalier.

Les mains pleines
de farine, maman va voir
ce qui se passe et voit
la petite fille entrer
dans les toilettes et
en ressortir quelques
secondes plus tard.

– Ça va ? demande maman.
– Oui, oui, fait Bérénice en remontant dans la chambre.

Puis, une fois de plus, alors que maman met le gâteau
au four, c'est Camille qui descend en quatrième vitesse
avec Nounours, et court vers les toilettes.
Quand elle ressort, papa et maman l'attendent.

– Camille, tu sais qu'on ne veut pas que tu descendes
les escaliers comme ça. Tu pourrais te faire mal.
Et on ne veut pas non plus que vous jouiez dans les toilettes.

– Mais on ne joue pas !
– Je ne sais pas
ce que vous faites ;
en tout cas,
arrêtez d'aller
dans les toilettes
pour rien !
fait maman,
presque en colère.

Crotte de boule de gomme !

Caca boudin !

À l'instant même, Camille se précipite à nouveau
dans les toilettes.
Papa et maman entendent :
– Crotte de boule de gomme ! Caca boudin !

– Vous voyez, dit Camille en sortant.
On n'y va pas pour rien dans les toilettes !
Mais c'est dommage qu'il n'y en ait pas en haut,
parce que c'est embêtant de toujours descendre
et remonter !

Camille a fait une bêtise

– Oh ! Le beau gâteau ! fait Camille en entrant
dans la cuisine. C'est pour le goûter ?

– Non, ma chérie. Il est pour ce soir.
Maman a invité des collègues.
Alors, j'ai fait un beau gâteau.
– Il est tellement beau qu'on dirait
un gâteau de pâtissier, dit Camille
en regardant le dessert
avec gourmandise.

– Je n'ai qu'à manger ma part maintenant.
– Il n'en est pas question ! s'exclame papa.
Je t'en garderai un morceau et tu le mangeras demain.

– Allez, viens, on va
jardiner un peu.
Et, après le dîner,
tu pourras regarder
la cassette que Martin
t'a prêtée.
– Superchic, alors !
s'écrie Camille,
tout heureuse,
en faisant sauter
Nounours en l'air.

Un peu plus tard, Camille, qui a soif, revient dans la cuisine.
Elle ouvre le frigo pour prendre de l'eau fraîche.
Et là, devant elle, trônant entre les radis et le beurre,
elle voit le gâteau... le beau gâteau de papa.

– Je pourrais y goûter un tout petit peu, se dit-elle.
Personne ne verra rien et, comme ça, je saurai s'il est bon.
Tout doucement, Camille effleure le gâteau de son doigt.
– Humm, il est drôlement bon, murmure-t-elle
en suçant son doigt couvert de crème.

Je vais y goûter
encore un tout, tout petit peu.
Mais là, au lieu
d'effleurer le gâteau,
Camille enfonce
son doigt dans la crème.

— Oh, zut ! dit-elle,
quand elle s'aperçoit du trou
qu'elle vient de faire.
Je vais vite le réparer.
Papa ne verra
rien du tout.

Mais, au fur et à mesure qu'elle passe son doigt
sur le gâteau pour essayer de réparer la bêtise,
le trou se fait de plus en plus visible.

Les larmes commencent alors à couler sur les joues de Camille.
– Comment je vais faire ? se dit-elle en reniflant.
Papa et maman vont être très, très fâchés.
Ils ne voudront plus me voir du tout !

Plus les secondes passent, plus les larmes coulent.
Camille, catastrophée, referme vite le frigo
pour ne plus voir l'horrible trou dans le gâteau
et monte s'enfermer dans sa chambre.

Quelques minutes plus tard, papa entre dans sa chambre
et la trouve allongée sur son lit, la tête cachée dans l'oreiller,
Nounours serré dans ses bras.
— Que se passe-t-il ? demande papa, inquiet.
Tu t'es fait mal ?
— Non ! dit Camille en pleurant.

Papa réfléchit quelques secondes.
– Tu as fait une bêtise ?
– J'ai fait une très, très, très grosse bêtise, fait Camille,
la voix entrecoupée par les sanglots.
– Quoi donc ? demande papa.
– J'ai... j'ai... j'ai fait un très gros trou dans le gâteau
et maintenant, il est horrible !
– J'ai vu, dit papa en hochant la tête.
– Alors, tu ne m'aimes plus ? s'écrie Camille.
– Je suis fâché, bien sûr. Il va falloir que je répare ta bêtise.
Mais je t'aime et je t'aimerai toujours, quoi que tu fasses.
Tu es mon amour adoré.

– Ah bon ? dit Camille, rassurée. Mais tu es fâché ?
– Oui. Je ne suis pas content. Je sais comment réparer
ta bêtise, mais tu savais qu'il ne fallait pas y toucher
et tu l'as quand même fait et ça, ce n'est pas bien.

– Je ne le ferai plus, dit Camille en baissant le nez.
Je te le promets.
– Je te crois, répond papa en l'embrassant.
Mais maintenant, tu te mets vite en pyjama,
tu dînes, et au lit ! Pas question de regarder
la cassette de Martin.
– Oui, dit Camille en acceptant la punition.

Mais...
tu pourras garder
une part
de ton gâteau
pour Nounours ?
Il n'a pas fait
de bêtise, lui...

Camille et ses nouvelles bottes

– Maman ! dit Camille en sortant du magasin.
Je peux les mettre ?
– Non, il fait beaucoup trop chaud. Les bottes
en caoutchouc, c'est utile quand il pleut
ou quand on va se promener dans la forêt.

– Je ne vais quand même pas attendre qu'il pleuve.
Tu te rends compte, il va peut-être pleuvoir
que dans deux jours !
Dis, je peux les mettre un petit peu ?
– Bon, d'accord ! fait maman en soupirant.
Quand papa les aura vues, tu les enlèveras.

– Chic alors ! s'exclame
Camille, tout heureuse
de pouvoir enfiler
sa nouvelle paire de bottes
jaunes en caoutchouc.

– Tu as vu, Nounours,
comme je suis jolie ?

– Papa ! Regarde ce que maman m'a acheté !
s'écrie Camille en courant vers le bureau.
– Quoi donc ?
– Des bottes, fait Camille en tendant
un pied vers papa.

J'ai des jolies bottes jaunes.
Tu sais, ce sont des vraies bottes en...
en « catouchou ».
Des vraies de vrai !
– En caoutchouc, mon lapin.
– Oui en « catouchou ». Les autres, elles étaient
en plastique, c'était bien moins bien !

– Bon, maintenant que papa les a vues,
on va les ranger, dit maman.
– Oh, non ! S'il te plaît, maman !
Je veux les garder toute la journée.
– Tu vas avoir trop chaud, explique maman.
Et puis, avec ta robe, ce n'est pas très joli.

– Ça, c'est vrai ! fait Camille en fronçant le nez.
Je vais mettre le pantalon et le pull qu'on vient
d'acheter. Viens, Nounours !

– Tu vas avoir beaucoup trop chaud, chérie. Tu mettras tout ça quand il fera mauvais.
– Hier, à la météo, ils ont dit qu'il allait pleuvoir. Alors, comme ça, je serai prête quand la pluie arrivera. Tu sais, c'est à ça que ça sert, la météo !

– Fais comme tu veux, ma chérie, répond maman.
Mais tu auras trop chaud.
Camille grimpe vite dans sa chambre avec Nounours
et ouvre le sac de vêtements.

Quelques minutes plus tard, elle descend dans le jardin,
habillée de son gros pull, de son beau pantalon
et de ses jolies bottes jaunes.

Elle joue un peu au ballon mais elle s'arrête vite.
Courir, ça donne chaud ! Surtout au soleil !

Et encore plus
si on porte un gros pull,
un pantalon bien chaud
et des bottes jaunes
en caoutchouc !

– Bon, je vais enlever mon gros pull, se dit Camille.
C'est lui qui me tient chaud. Voilà ! Maintenant,
j'ai juste mon tee-shirt, c'est bien mieux.
Et toi, Nounours, fais bien attention !
Reste sous le parapluie, il va pleuvoir.

Camille va ensuite chercher
son bel arrosoir rouge pour arroser les fleurs.
– C'est super d'arroser. Mais aller chercher
de l'eau, porter l'arrosoir très lourd,
ça donne chaud !
Surtout en plein soleil !

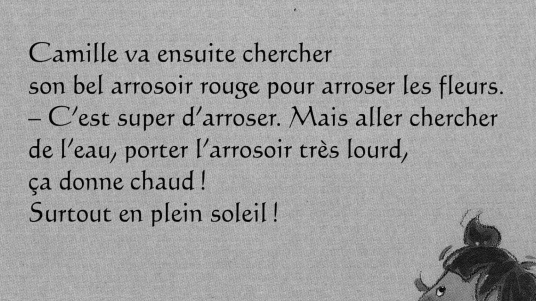

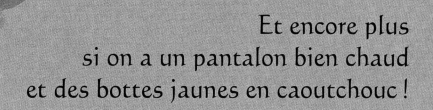

Et encore plus
si on a un pantalon bien chaud
et des bottes jaunes en caoutchouc !

– Bon, je vais enlever mon pantalon,
se dit Camille. C'est lui qui me tient chaud.
Voilà ! Je suis en petite culotte, c'est bien mieux.
Je n'ai plus chaud, maintenant !
C'est juste bien.
Maintenant, je vais jouer à la marelle.

Mais, Camille s'arrête vite.
Jouer à la marelle, ça donne chaud !
Surtout en plein soleil !
Et encore plus si on a une paire de bottes jaunes
en caoutchouc !

– Crotte de boule de gomme ! dit Camille en soupirant.
Tu sais, Nounours, peut-être que papa et maman
avaient raison. Les bottes, ce n'est pas très bien
quand il fait chaud.
Mais, par contre, c'est trop chouette
de prendre un bain avec !

Camille prépare Noël

– Moi, j'aime bien décorer les sapins ! fait Camille
tout excitée en accrochant une jolie boule rouge
dans le sapin que papa vient d'installer.
On devrait le faire plus souvent !

– Eh oui ! ma chérie, admet papa.
Mais, Noël, ce n'est qu'une fois par an !
– Et c'est quand, Noël ? C'est demain ?
– Non, il faut encore attendre quelques jours.
– Tant pis ! dit Camille en choisissant
ce qu'elle va ajouter au sapin.

– Je peux mettre la belle
étoile ? demande-t-elle.
– Bien sûr, répond papa
en la soulevant
le plus haut possible.

– Nounours et moi, on voudrait avoir des cadeaux !
dit Camille en essayant d'enrouler une guirlande
dans le sapin.
– Ne t'inquiète pas, dit maman.
Mais toi, qu'est-ce que tu vas offrir ?
– Ben… on ira acheter des cadeaux,
et puis je les donnerai ! répond Camille.
– Ah non ! Ça, c'est de la triche !
s'exclame maman en souriant.
Il faut que tu les fabriques.
Camille réfléchit un peu… beaucoup,
mais ne trouve pas d'idée.
– Et si on faisait des petits animaux
en pâte à modeler ? suggère maman.
– Oui ! Ça serait génial, dit Camille.

Dès le lendemain, Camille et maman
font de la pâte à modeler.

« Dring ! »

– Bonjour ! dit tante Nathalie en embrassant Camille.
Comment vas-tu ? Qu'est-ce que tu as fait aujourd'hui ?
– J'ai fait des… commence Camille.
Mais, soudain elle s'arrête, met sa main
devant sa bouche et secoue la tête.
– Il ne faut pas que je te le dise !
– Hum, hum ! murmure tante Nathalie.
Je parie que tu prépares les cadeaux
de Noël !
– Comment tu le sais ? Tu as deviné toute
seule, je n'ai rien dit du tout !
– Ne t'inquiète pas, dit tante Nathalie,
je ne dirai rien à personne.

Le lendemain, avec l'aide de papa,
Camille fait une jolie couronne de Noël
qu'elle décore avec de beaux rubans
et de petites boules de Noël.
– C'est drôlement beau, fait Camille,
quand papa a fixé la couronne à la porte.
Ça donne envie de rentrer chez nous !

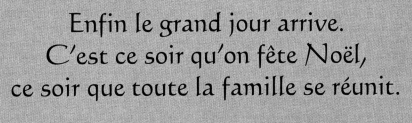

Enfin le grand jour arrive.
C'est ce soir qu'on fête Noël,
ce soir que toute la famille se réunit.

Les préparatifs vont bon train.
Tout le monde veut
que la soirée soit parfaite.

Après avoir fait le gâteau avec papa,
et après avoir préparé et décoré la table avec maman,
Camille va mettre sa plus jolie robe.
– Tu as vu, Nounours, comme je suis belle ?
Toi aussi tu es beau avec ton nœud papillon !

Quand la famille arrive, Camille est tout excitée !
– Joyeux Noël ! s'écrie-t-elle en donnant des bisous à chacun !

Tout le monde rit, tout le monde s'embrasse,
heureux de se retrouver...
et quelques paquets sont déposés
au pied du sapin.

La soirée est entrecoupée de jeux, de chansons.
Oncle Albert a apporté sa guitare
et papa l'accompagne au piano.
Au fil de la soirée, on ouvre les cadeaux.

Quand vient le tour des trois gros paquets
qui prennent toute la place au pied de l'arbre,
Martin, Camille et Rose hésitent un peu.

– Allez-y, les enfants ! dit mamie.

– Un vélo ! s'écrie Camille en ouvrant son paquet.
Un beau vélo rouge, comme je le voulais !
– Le mien est bleu, s'exclame Martin.

– Et le mien, rose !
s'écrie Rose
tout heureuse !

Et, en n'oubliant pas de donner des bisous à tout le monde,
Camille distribue ses petits paquets.
– Mais c'est magnifique ! s'exclame papi, tout heureux.

– Ce sont des cadeaux que j'ai fabriqués !
dit Camille, toute fière.
Je les ai faits avec amour, et puis aussi avec maman !

Camille soupire
de bonheur :
qu'on est bien
en famille !

Imprimé en Belgique